D0504834

Il était une fois un ogre nommé Shrek qui sauva la princesse Fiona grâce à un vrai baiser d'amour. Ils se marièrent, eurent trois bébés ogres et comptaient bien vivre heureux pour toujours.

La vie s'écoule maintenant paisiblement… au rythme des rots, des pets, du ménage ou des couches à changer… Mais Shrek réalise que ce bonheur n'est pas ce qu'il imaginait. Autrefois, il effrayait les villageois en poussant des cris terribles. Aujourd'hui, les choses sont différentes.

« Je ne suis plus un ogre, gémit-il. Je ne suis plus qu'un pantin tout juste bon à faire rire ! »

Les bébés fêtent leur premier anniversaire. Fiona a organisé une fête mais Shrek ne s'amuse pas beaucoup. Cela ne s'arrange pas quand les invités se mettent à lui réclamer son célèbre cri. Et au moment d'apporter le gâteau en forme d'ogre, l'un d'entre eux s'écrie :

« N'est-il pas mignon ? »

C'en est trop pour Shrek : les ogres ne sont pas supposés être mignons ! De colère, il écrase le « mignon petit gâteau » du poing et quitte la fête.

Non loin de là vit l'habile et sournois nain Tracassin. Il n'aspire qu'à une chose : régner sur Fort Fort Lointain. Ayant observé Shrek pendant la fête d'anniversaire, il se met à élaborer un plan.

Il invite l'ogre dans son carrosse et lui propose un étrange marché : redevenir un ogre pour un jour.

« Les gens seront à nouveau effrayés en te voyant, lui dit-il malicieusement, et tu seras libre de faire ce que tu veux, comme au bon vieux temps.

– Mais que veux-tu en échange ? demande Shrek.

– Je ne te demande qu'un seul jour, répond Tracassin, un jour dont tu ne te souviendras pas... comme par exemple, quand tu étais bébé. »

Tout ça semble plutôt simple. Shrek signe donc le contrat.

« Bonne journée ! » ricane Tracasssin qui disparaît comme par magie.

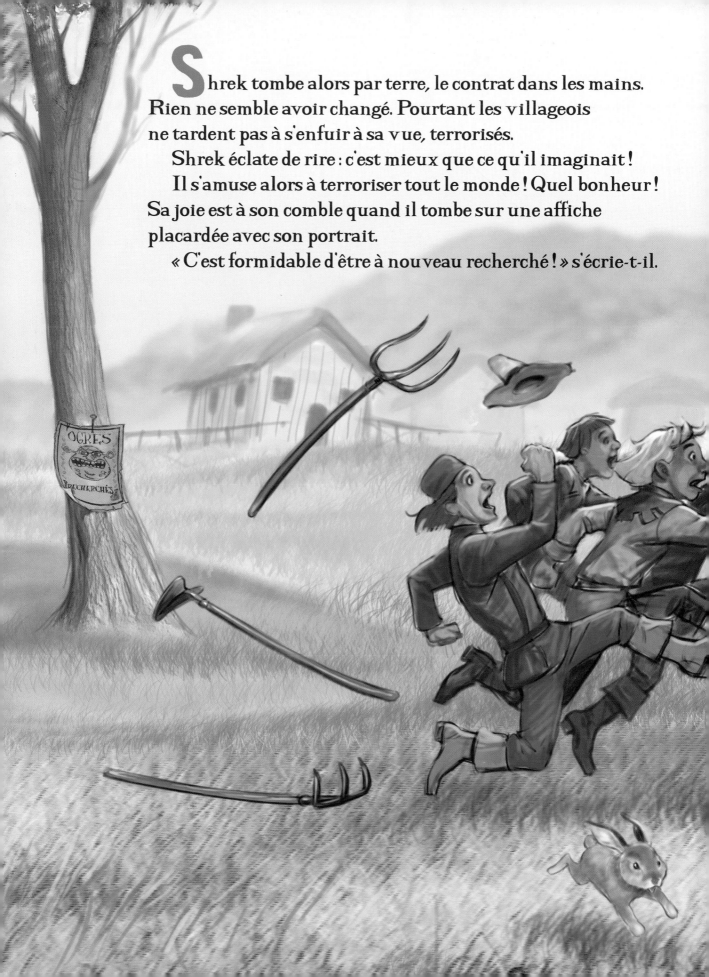

Shrek tombe alors par terre, le contrat dans les mains. Rien ne semble avoir changé. Pourtant les villageois ne tardent pas à s'enfuir à sa vue, terrorisés.

Shrek éclate de rire : c'est mieux que ce qu'il imaginait !

Il s'amuse alors à terroriser tout le monde ! Quel bonheur ! Sa joie est à son comble quand il tombe sur une affiche placardée avec son portrait.

« C'est formidable d'être à nouveau recherché ! » s'écrie-t-il.

Mais ce bonheur retrouvé est de courte durée.
En arrivant dans son marais, il trouve l'endroit désert :
aucune trace de sa maison, de ses enfants, de ses amis ou de... Fiona !
   « Mais je n'ai pas signé pour ça ! Qu'a-t-il fait ? » s'exclame Shrek.
   Soudain, une armée de sorcières arrive et survole le marais : elles
sont à la poursuite des ogres !
   Shrek tente de s'enfuir mais elles sont trop nombreuses.
Il est finalement capturé et jeté dans une charrette.

Shrek entend quelqu'un chanter à l'extérieur. Cette voix lui est familière... Ses yeux s'écarquillent : c'est l'Âne qui conduit la voiture !

« L'Âne ! C'est toi ? Tu peux me dire ce qui se passe ? bougonne-t-il.

– Écoute, l'ogre, tu dois faire erreur. Comment connais-tu mon nom ? »

Shrek n'en croit pas ses oreilles : son meilleur ami ne le reconnaît pas !

À l'approche du château de Tracassin, il comprend que le nain l'a piégé.

Il s'est emparé de Fort Fort Lointain, qui n'est plus qu'un tas de ruines.

« Ne t'inquiète pas, l'Âne, dit Shrek. Je vais nous sortir de là. »

Son vieil ami le regarde, stupéfait :

« C'est ça, mon pote ! Mets un peu de piquant dans ma vie ! »

Une fois au palais, le nain Tracassin accueille Shrek en riant.
« Te voilà, toi qui as rendu tout cela possible ! »

Il explique alors à Shrek qu'en signant le contrat, il lui a donné le jour
de sa naissance ! Shrek n'a jamais existé dans le monde de Tracassin et il
n'a jamais pu sauver Fiona. Le roi et la reine ont dû céder leur royaume
à Tracassin en échange de la liberté de leur fille.

Tracassin jubile : « Puisque tu n'as jamais existé, tu disparaîtras
au coucher du soleil ! »

L'Âne et Shrek retournent à l'endroit où ils avaient sauvé Fiona des griffes d'une abominable dragonne, mais l'ogresse n'est pas là. C'est alors que l'Âne est attiré par une appétissante pile de gaufres.

« Ne mange pas ça ! » l'avertit Shrek.

Trop tard. Le sol se dérobe sous ses pieds : c'est un piège ! Shrek saute à son tour dans le trou. Abasourdi, il découvre alors une tribu d'ogres !

« Bienvenue au centre de résistance les gars ! » aboie l'un d'eux.

Shrek arrête des ogres qui s'apprêtaient à faire un festin de l'Âne, puis il rencontre le chef du clan qui n'est autre que... Fiona !

À la vue de Fiona, Shrek frissonne. S'il l'embrasse, ils retrouveront leur vie d'avant ! Mais Fiona ne reconnaît pas Shrek, et elle est bien trop occupée à élaborer une attaque contre Tracassin pour délivrer le royaume de Fort Fort Lointain.

« Potté ? » s'étonne Shrek en entrant dans la tente de Fiona.

Ça alors ! Le vaillant chat Potté est devenu un gros matou paresseux.

Fiona n'est pas contente de trouver l'ogre dans sa tente et l'est d'autant moins quand il tente de l'embrasser. Elle le jette dehors. Shrek doit absolument trouver un nouveau plan…

Juste avant la bataille contre l'armée de Tracassin, Shrek raconte
à Fiona la vie heureuse qu'ils partagent. Elle finit par le croire.
Ils se mettent alors à danser.

« Je n'arrive pas à me contrôler ! » s'exclame-t-elle.

C'est encore une ruse de Tracassin ! Il a fait appel au joueur de flûte
et à sa musique ensorcelante qui force les ogres à danser… jusqu'au donjon
du nain diabolique !

« Nous devons les soustraire à la musique ! » dit Potté.

Aidé par l'Âne, il arrache Shrek et Fiona à leur danse.

« Potté et l'Âne à la rescousse ! Hé, je crois que j'aime bien cette idée ! »
s'écrie l'Âne.

Excepté Shrek et Fiona, Tracassin parvient à capturer tous les ogres. Désespérée, Fiona accepte d'embrasser Shrek, mais rien ne se passe. L'ogresse court porter secours aux autres ogres mais elle se fait capturer.

Persuadé qu'il ne retrouvera jamais sa vie d'avant, Shrek décide de sauver Fiona et l'armée des ogres. Au moins, elle, elle sera heureuse !

Shrek retourne chez Tracassin pour lui proposer un autre marché : il accepte de se rendre à la condition que le nain laisse partir tous les ogres.

Mais au moment où Tracassin le jette dans le donjon, mauvaise surprise : Fiona y est toujours enfermée !

« Et notre pacte ? hurle Shrek à Tracassin. Tu étais d'accord pour libérer tous les ogres !

– Mais Fiona n'est pas tout à fait un ogre », lui fait remarquer malicieusement le nain.

Comme Shrek ne l'a pas encore sauvée ni embrassée d'un vrai baiser d'amour, une partie d'elle est toujours humaine.

Fiona sourit à Shrek, réalisant tout ce qu'il a fait pour la sauver.

Ce soir-là, Tracassin et ses sorcières donnent une fête pour célébrer leur victoire. Mais Potté et l'Âne n'ont pas dit leur dernier mot ! Ils infiltrent l'armée des ogres au milieu du bal et attaquent Tracassin et sa horde de sorcières. Shrek et Fiona sont à nouveau libres et se mêlent au combat. Ils finissent enfin par attraper le nain maléfique.

« La victoire est à nous ! » s'écrie Fiona.

Après cette bataille acharnée, l'heure est à la tendresse.
« Nous formons une bonne équipe, dit Fiona avec un grand sourire.
– Tu n'imagines pas à quel point ! » répond Shrek.
Il baisse les yeux et remarque que ses doigts commencent
à disparaître. La fin de la journée approche !
« Qu'est-ce qu'on peut faire ? » demande Fiona.
Shrek est si bon, si courageux ! Elle réalise alors qu'elle est tombée
amoureuse de lui. Mais il est peut-être déjà trop tard ?
Fiona embrasse Shrek d'un vrai baiser d'amour…

Ça a marché ! Le baiser a rompu le contrat du nain diabolique ! Shrek se retrouve pile là où sa vie s'est arrêtée : à l'anniversaire de ses bébés ogres adorés, heureux de retrouver sa vie remplie de bonheur avec Fiona.

Il sait maintenant que rien n'est jamais acquis… et se promet, à partir d'aujourd'hui, de vivre heureux, très heureux, pour toujours !